攻略

权威艺考教师倾力推荐

30天突破

素描头像

◆ 主编 李东君 王萌

◆ 河南美术出版社

图书在版编目(CIP)数据

攻略·30天突破素描头像/李东君，王萌主编.—郑州：河南美术出版社，2010.1

ISBN 978—7—5401—1957—7

Ⅰ.3... Ⅱ.①李…②王… Ⅲ.肖像画—素描—技法(美术)—高等学校—入学考试—自学参考资料 Ⅳ.J214

中国版本图书馆CIP数据核字（2009）第221747号

主　编　李东君　王　萌
编　委（按拼音排序）

　　　陈海林　陈　宁　迟起春　陈永生

　　　陈　政　侯　震　李东君　李丰原

　　　马　杰　王　萌　周春燕　张富军

攻略·30天突破素描头像

策　　划：陈　宁
主　　编：李东君　王　萌
责任编辑：陈　宁　李丰原
责任校对：李　娟
装帧设计：陈　宁

出版发行：河南美术出版社
　　　　　地址：郑州市经五路66号
　　　　　邮编：450002
　　　　　电话：(0371) 65727637
设计制作：河南金鼎美术设计制作有限公司
印　　刷：郑州新海岸电脑彩色制印有限公司
开　　本：787毫米×1092毫米　1/12
印　　张：4
版　　次：2010年1月第1版
印　　次：2010年1月第1次印刷
书　　号：ISBN 978—7—5401—1757—7
定　　价：28.00元

概　述

近年来，美术高考类招生人数逐年升温，成为绝对的热点。广大考生如何科学地进行考前训练？如何在每个阶段都能取得显著的提高？这是每位考生都十分关心并迫切想要解决的问题。

广大美术考生在考前训练阶段，只有通过科学系统的临摹学习才能在较短的时间里快速提高，为此我们组织众多活跃在美术高考培训第一线的专业教师做了大量的调查研究，根据他们在美术考前教学实践中的丰富经验，准确把握美术高考脉搏，针对全国各大美术院校招生的特点，从近年来美术高考培训中创作的百余幅精品范画里挑选出30余幅。所选作品力求有较高的水准和较强的针对性，以此为广大美术考生提供最佳学习和借鉴的典范。

我们通过对大量考生的了解和分析，现在的学生为了应付考试，在素描学习过程中大量的临摹、写生、默写来进行训练，其实这没什么不对，但是他们在学习的过程中会发现自己总是有力不从心、进步颇慢、学习惘然，画到一半便没有了头绪。这是因为他们没有注意到学习美术的过程中，除了要在技法上刻苦训练以外，还需要理性的认真思考。在素描的学习过程中所谓的理性思考，我们应该理解为是对素描的理论常理的认知度，广大美术考生在考前训练中要善于学习这些科学的理论知识，才能达到事半功倍的效果，才能真正做到在考试中"以不变应万变"。

作为素描学习的一个重要部分，素描头像写生不单是学习的基础课题，更是完成整个系统绘画训练的必要过程。认识和掌握构成人物的形体、比例、结构、解剖等基本规律以及人物个性的生理特征等，是头像写生中最基本、最核心的问题。素描头像在基础绘画的学习和美术高考中都占有极其重要的地位和作用。要求形体的比例准确、结构清晰，人物形象造型特征明确；形体的空间、体积、质感，以及对人物的精神面貌等特点有一定的表现；形体的塑造深刻、充分、到位，造型能力强；画面构图饱满，虚实处理得当，整体效果和谐；画面有强烈的个人感受，有一定的个性绘画语言方式和驾驭画面的能力。

本书提供的这些优秀的素描头像习作造型扎实，明暗调子细腻而富于变化，结构准确、清晰，每幅作品都附有分析、点评。同时也整理了一些学生在美术学习中易出现的、有代表性的问题，选择艺考专业教师有针对性地答疑解惑，可谓是高考必读。广大考生在临摹学习这些范画的过程中，应着重体会作者处理画面和整体控制画面的技巧，领悟作者对表现对象的理解与感受，并将这种技巧与感受融入到自己的学习实践中。只有这样，才能在考前的学习过程中不断提高自己的绘画水平，在学习中少走弯路，从而针对各美术院校招生的要求进行有目的的训练，力争在短期内快速提高。

真心地希望本书能对广大考生带来有益的借鉴和帮助！

一、《女高中生》写生
步骤

步骤1：观察写生对象，确定画面构图。用单线轻轻勾出人物的基本轮廓，确定五官的基本位置。

步骤2：进一步明确五官的比例、位置，注意结构的准确。

步骤3：深入刻画人物五官的细部特征，注意表现出头发的质感和明暗。

步骤4：调整面部五官的明暗关系，统一画面。进一步表现出人物面部的细微变化和神态。

步骤1

步骤2

步骤3

步骤4

点评：

　　这幅作品人物形象刻画生动，尤其是五官的细微变化表现得较为充分。细腻的笔触和丰富的色调变化，增强了人物肌肤的质感。

作者：李东君

照片

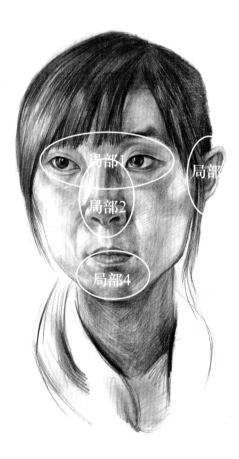

局部1

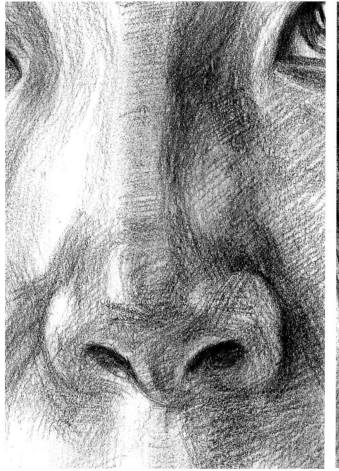

局部2

局部3

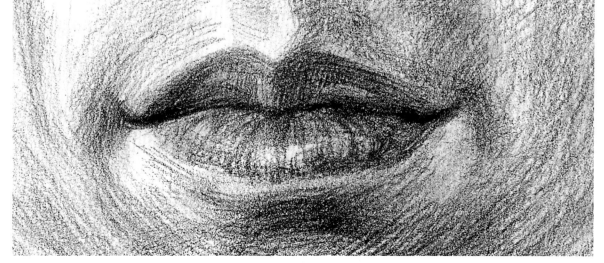

局部4

二、《男青年》写生步骤

步骤1：观察写生对象，确定画面构图。用单线轻轻勾出人物的基本轮廓，确定五官的基本位置。

步骤2：进一步明确五官的比例、位置，用笔要大胆、果断，做到心中有数，注意五官的位置准确。

步骤3：深入刻画人物五官的细部特征，注意人物面部的明暗变化，要表现出五官的结构关系和体面转折关系。

步骤4：调整统一画面，注意表现人物的形象特征，突出人物面部的细微变化。

步骤1

步骤2

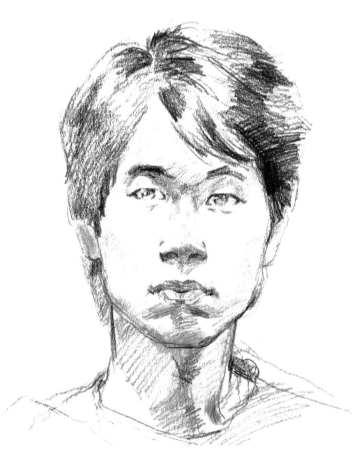

步骤3

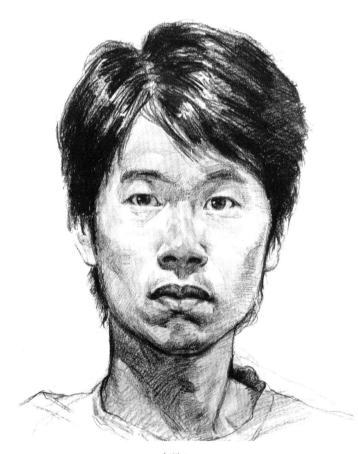

步骤4

点评：

这幅作品构图舒服，人物形象饱满，将男青年双眉紧锁的细微神情刻画的生动传神。五官造型准确到位，体面转折关系清晰，用笔富于变化。

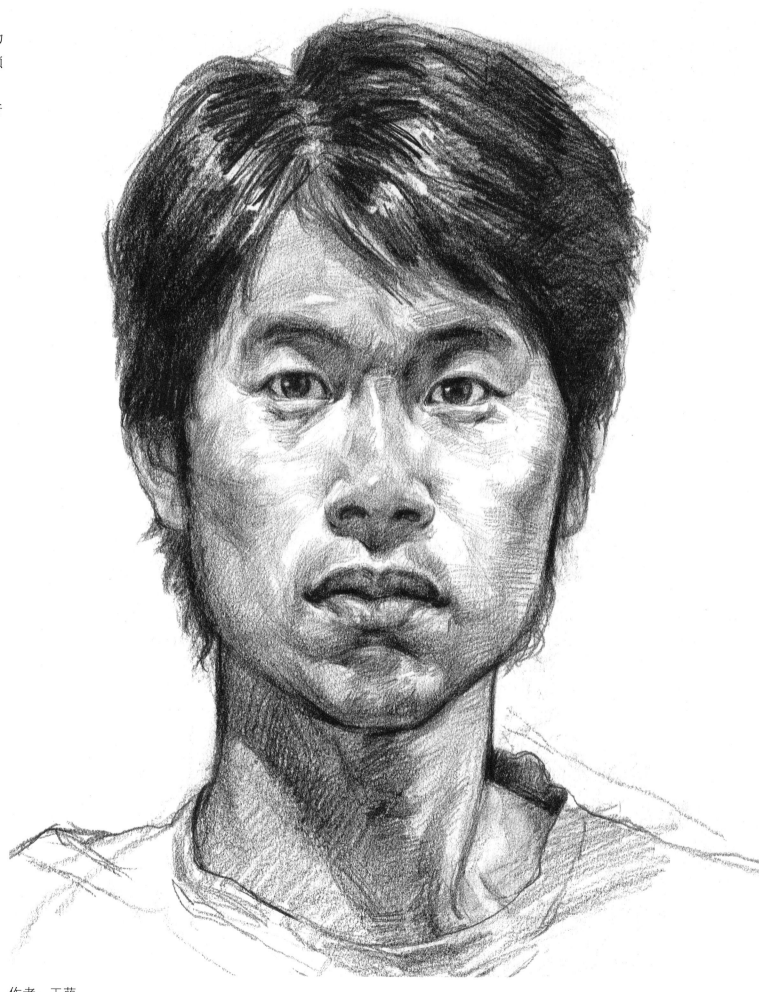

作者：王萌

照片

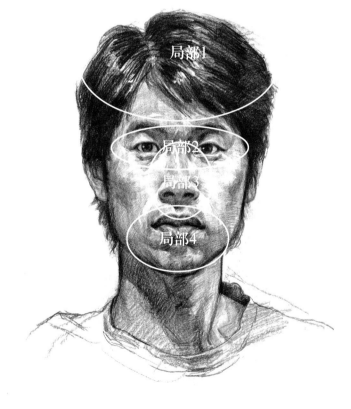

局部1

局部2

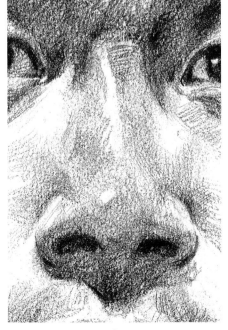

局部3

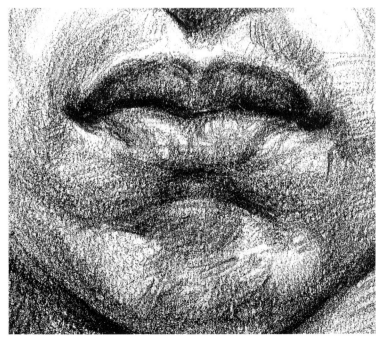

局部4

三、《带眼镜的女青年》写生步骤

步骤1：观察写生对象，确定画面构图。用单线轻轻勾出人物的基本轮廓，确定五官的基本位置。

步骤2：进一步明确五官和眼镜的比例、位置，用笔要大胆、果断，做到心中有数，注意五官的位置准确。

步骤3：深入刻画人物五官的细部特征，注意人物面部明暗的变化和头发的层次，表现出面部结构的体面转折关系。

步骤4：调整统一画面，注意表现人物的形象特征，突出人物面部表情的细微变化。

步骤1

步骤2

步骤3

步骤4

点评：
这幅作品整体画面协调统一，人物真实、生动，眼镜的刻画突出女青年鲜明的个性特征。人物形象特征把握得尤为到位。

作者：王萌

照片

局部1

局部2

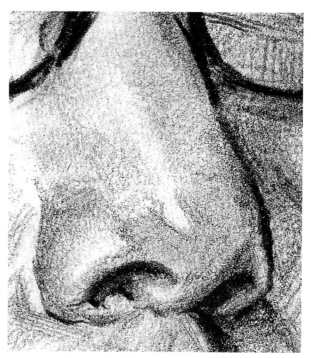

局部3

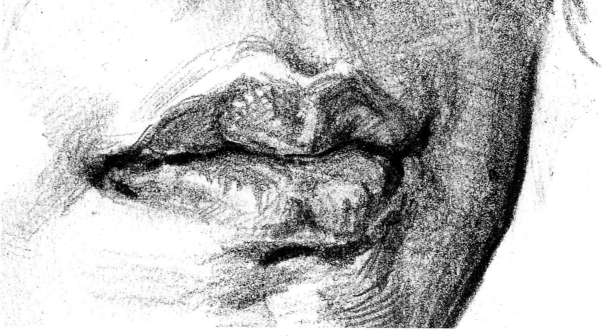

局部4

四、《中年男子》写生步骤

步骤1：观察写生对象，确定画面构图。用单线轻轻勾出人物的基本轮廓。

步骤2：进一步明确五官和头发的比例、位置和大体明暗，用笔要大胆、果断，做到心中有数，注意五官的位置准确。

步骤3：深入刻画人物五官的细部特征，注意人物面部明暗的变化和头发体面转折关系。

步骤4：调整统一画面，注意表现人物的形象特征，突出人物面部眼睛的细微变化。

步骤1

步骤2

步骤3

步骤4

点评：

这幅作品画面结构清晰，体面关系明确，整体效果统一，在具体刻画中通过对头发的处理和五官的细致表现，使人物形象跃然纸上。

作者：王萌

照片

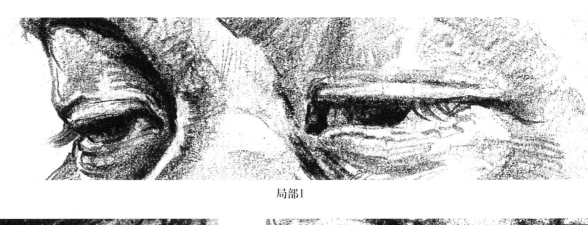

局部1

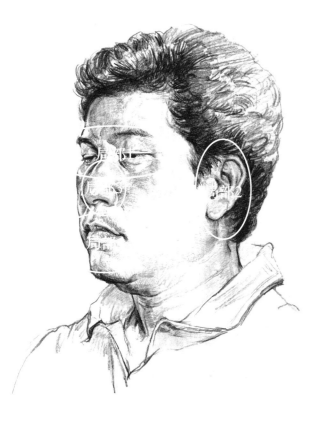

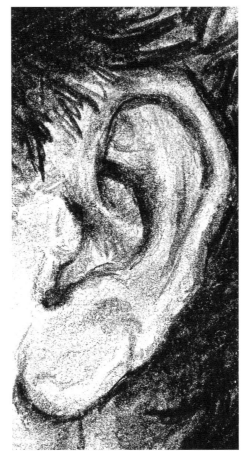

局部2

局部3

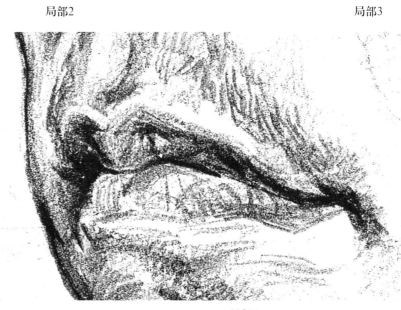

局部4

点评：这幅作品虚实对比较强且主次分明，结构清晰，用笔细腻，形象自然生动，把少女传神的眼睛、光滑的皮肤和蓬松头发的体积感、质感用娴熟的技法生动地表现了出来。

答疑解惑：

1问：在画素描头像时画得特别像模特，但没有结构，为什么会出现这样的问题？问题的关键在哪里呢？

答：问题在于对于头部的结构、骨骼和肌肉走向等了解不够！另外就是在你初学素描时养成画法上的不良习惯。在平时的练习中要多看优秀的范画，看看别人是怎么表现结构的。一定要注意结构不能画得太死，要注意虚实的处理和人物表情的细微变化。

作者：王萌

点评：这幅作品用笔细腻，五官造型准确，巧妙的虚实和明暗处理把女孩的天真、烂漫刻画得生动传神。

答疑解惑：

2问：素描头像和素描石膏像有什么区别呢？

答：首先石膏像是静止不动的，从整体到局部呈现严格规定着的状态，变动其中任何一点都会破坏它的完美性。其次，素描石膏像的训练可以使我们了解人物造型的一般规律和表现要领，为素描头像打好基础。学习素描头像的重点则是训练学生刻画五官、人物神态的能力。

作者：李东君

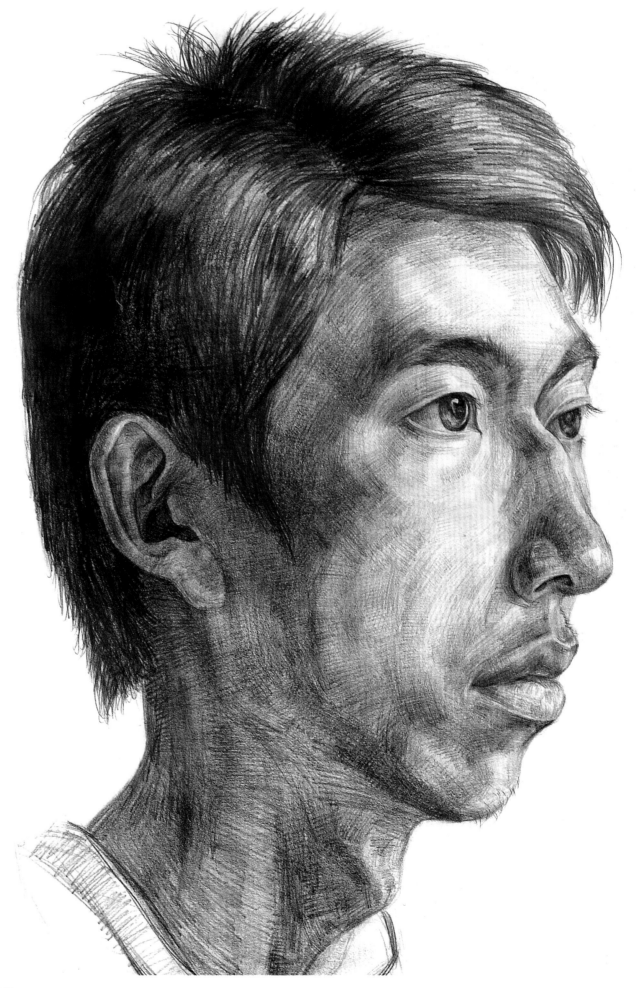

点评：这幅作品五官刻画深入具体，造型准确到位，体面转折关系清晰，用笔富于变化，具有较强的体积感和塑造感。

答疑解惑：

3问：在画素描头像时，老师说我上明暗调子、画五官还行，就是在起稿时的第一步画轮廓总是感觉是圈出来的，我感觉这样不正确，有没有什么诀窍啊？

答：建议你还是用最基础的以方求圆的方法，先从人物的结构线入手，由轻到重，由虚到实，循序渐进。

作者：李东君

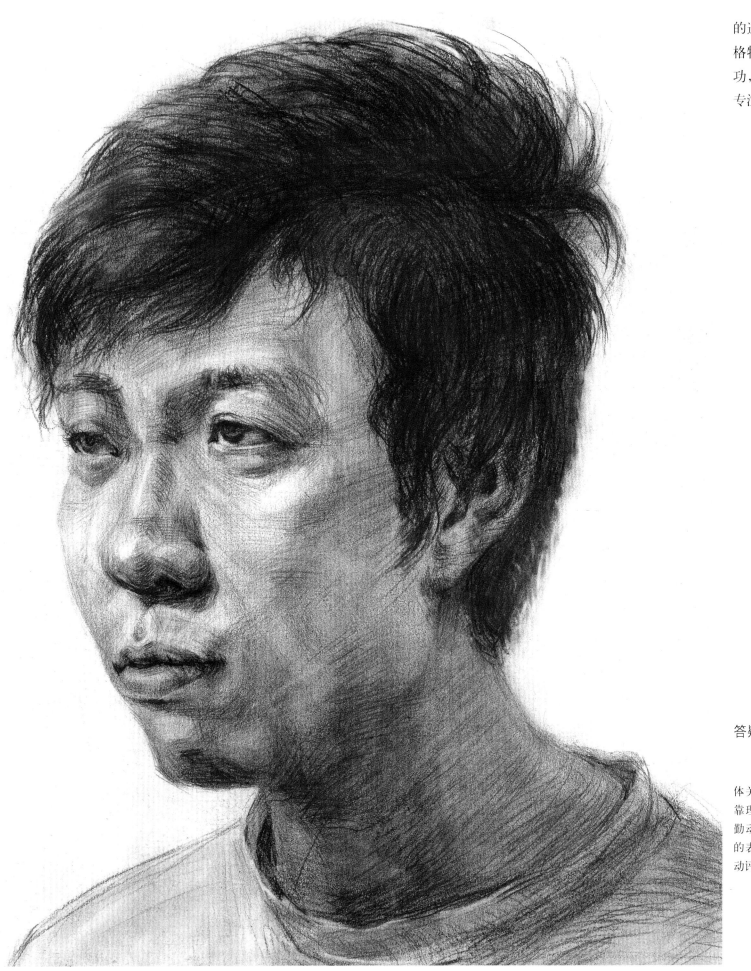

点评：这幅作品里青年人的透视、光感、朝气蓬勃的性格特征与体量感都表现得很成功，使人感到对象在做模特时专注的神情，画面轻松自然。

答疑解惑：

4问：素描头像的要点是什么？

答：结构、体积感、质感、整体关系和熟练的表现技法！有些是靠理解的，而更多的是要多思考、勤动手、多练习，最终是用你熟练的表现技法和生动的画面效果来打动评卷老师。

作者：刘丹枫

点评：这幅作品线条流畅，构图准确，用笔娴熟，黑、白、灰关系清晰明确，尤其是衣领的处理非常舒服，与面部形成较强的虚实对比关系，并将男性的形体按照解剖关系塑造得结实有力。

答疑解惑：

5问：如何表现好素描头像的整体明暗调子？

答：首先要理解人像头部的解剖结构知识，不懂结构，就不可能上好调子，因为调子是跟着结构走的。所以说在素描头像中，结构是关键，没有结构，所有的线条都是空想。上调子的手法有线面结合、线线结合、面面结合等几种，其中线面结合是最常用的，其表现的调子也较为丰富。

作者：韩焱琪

点评：这幅作品表现出作者极强的造型能力和概括能力，整体明暗关系处理得非常到位，熟练的用笔，微妙的黑白灰色调对比和虚实关系的处理，使人物形象唯美动人。

答疑解惑：

6问：在素描头像中，怎样画好头发？（一）

答：在素描头像写生中，人物头发的表现很重要。有很多同学不太重视，以至于作品中五官画得很好，头发的处理却很幼稚。头发的表现确实有一些难度，它不像面部那样具有明显的结构，也不像五官那样具有"有意思"的细节，它乌黑蓬松地附着在头部，使人辨不出哪是应该刻画的重点。但是头发在头部占的面积很大，并涉及到人像很大一段轮廓。头发又是反映人物性格的一个重要方面，因此应该重视对头发的表现。头发应该体现头部的主要形体特征。不管对象是何种发式，要注意它的球体特征。它与脸部的结构是一个整体，同样有明暗交界线、反光和亮部。由于人的头发表面光滑，所以会出现高光，这些高光都是由一根根弯曲的头发集合而成。表现时要注意它与一般的高光形式不同，画得不好，会像"白斑"或灰白头。

作者：张富军

点评：这幅作品塑造人物的形象特征朴实而敦厚，颞骨、颧骨、咬肌的部位表现相当充分，显示出人物较强的立体感和体量感。

7问：在素描头像中，怎样画好头发？（二）

要注意头发外轮廓的变化，不同的发式对外轮廓有一定的影响。简单的发式，外轮廓的变化也简单，反之则复杂。由于头发的色调很重要，因此，外轮廓的变化主要利用素描的虚实变化处理。要注意处理头发与脸部的衔接方式。鬓角部分是一种过渡形式，发际部分具有一定的厚度，这种厚度会给额头造成投影。发式不但可以反映人物的性别，而且也是表现人物性格与爱好的重要方面。发式的变化多种多样，无论何种发式，表现时都要注意头发的组织、穿插和结构的透视缩变。同时也要注意它在整个头部中的主次关系。

作者：王博青

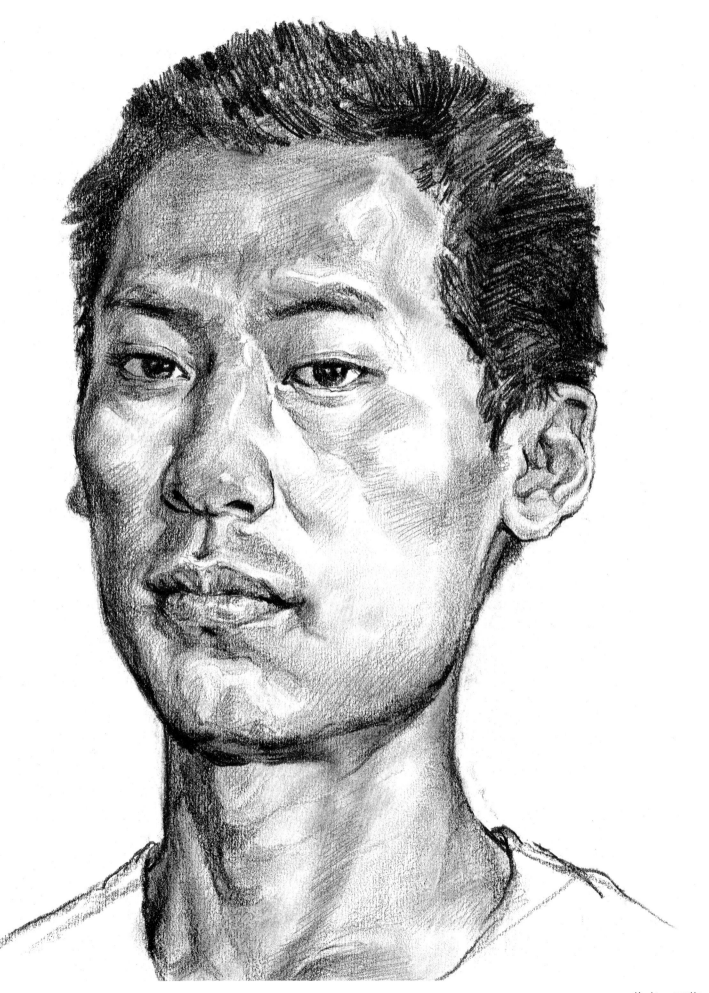

点评：这幅作品构图合理，人物个性鲜明，结构清晰。面部转折关系明确，头发、五官与衣领用笔一致，整体画面达到了统一的效果。

答疑解惑：

8问：开始画素描头像时，应该怎么起形？

答：建议学生在素描头像写生时，首先应在画面上定三个基准点，比如画侧面头像，定鼻尖为一个点，耳朵孔为一个点，眉弓为一个点，先看清楚这三个点的比例位置，然后再以这三个点为基准来衡量其他部位的位置是否正确，比如眼睛在鼻尖点的右下方什么角度，多少距离，而眼睛又离耳孔点有多远，什么角度，这时，眼睛的位置就有了相对精准的坐标。不要画到哪儿算哪儿，等你练习熟练了，你就可以多定几个基准点，形就会画越准。另外画多点速写，有助于起形的准确。

作者：王萌

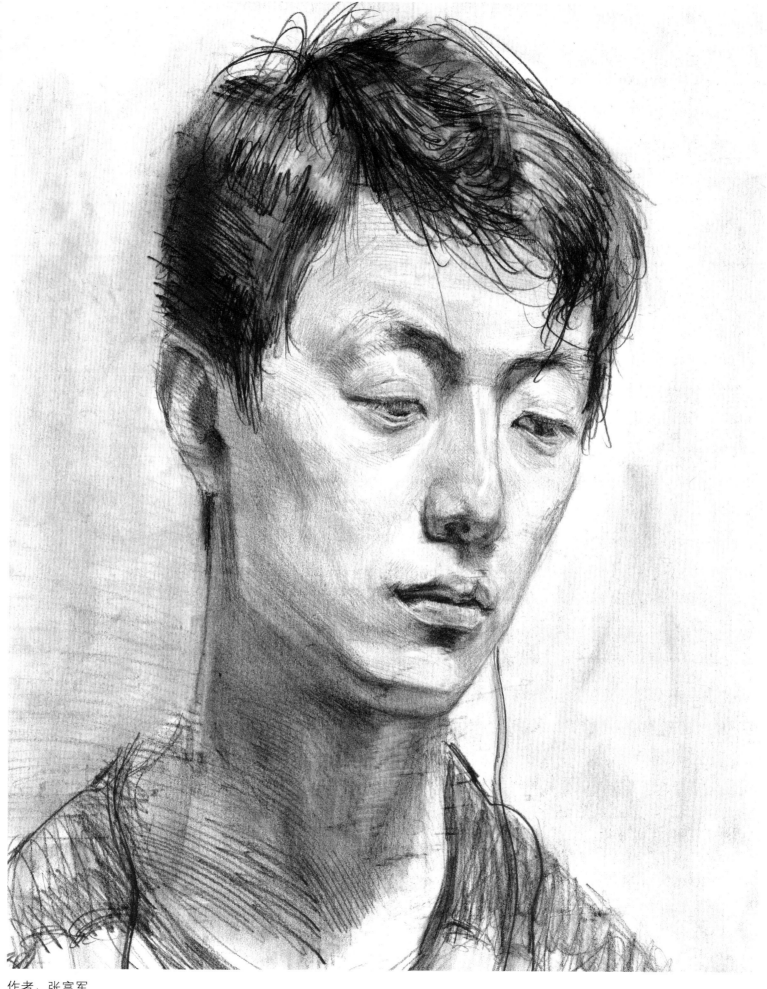

点评：这幅作品用笔简练，整个画面没有太多的线条，头发的处理轻松自然，却有丰富的变化，整体画面有较强的表现力。

答疑解惑：

9问：在素描头像训练中鼻子和嘴巴怎么画？

答：建议先去画一段时间的石膏像练习，画石膏像的时候，石膏模型的嘴巴和鼻子都是比较标准的，先画石膏像的鼻子和嘴巴，了解一下它的实际形状，然后再来画真人的鼻子和嘴巴，你就感觉会比较容易一些了。

作者：张富军

点评：这幅作品面部结构准确，熟练的用笔随着肌肉的组织关系而变化，恰到好处地表现出人物的精神面貌与个性特征。

答疑解惑：

10问：画素描头像时，如何控制眼睛、鼻子还有嘴巴的大小?

答：画的时候眼睛与画板要保持一定的距离，在起形时画局部也要顾及整体。整体地观察、整体的画就可以控制好五官的比例。在过程中多把自己的画推远看，和模特作比较。在实际人物的面部上五官的大小是很清楚的，落到画面上五官的比例失调可能是因为自己只注意局部而忽视整体造成的。

陈海林提供

点评：这幅作品构图合理，结构清晰，人物个性特征鲜明，体面转折关系明确，头发的处理富于变化，体现了作者较强的素描表现能力和对人物结构体面等关系理性的分晰与理解能力。

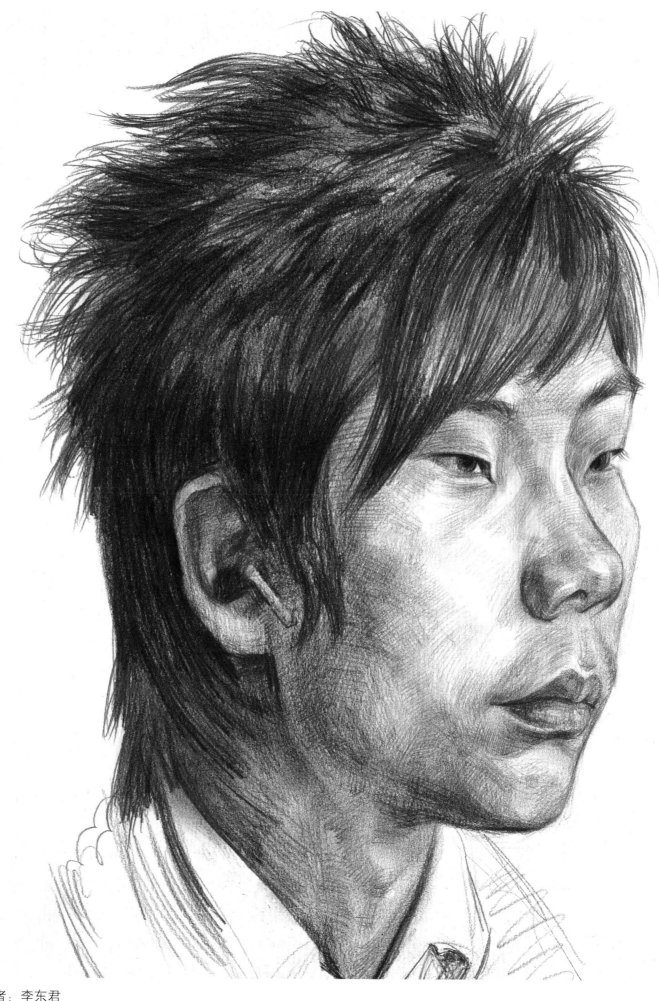

答疑解惑：

11问：在素描头像写生时，三庭五眼的原则只能是画正面才用得到，那侧面呢？

答：其实这个只是一个笼统的尺度，它会跟着对象的变化而改变，俯视或者仰视角度时的尺度也会发生变化，并且人的个体不一定都完全符合这个尺度。所以根本上还是要依靠自己眼睛去观察，要多动手、多练习，循序渐进的训练，正所谓提高眼力，眼力提高了，加上多练习，手自然也会逐渐跟上。

作者：李东君

点评：这幅素描头像作品结构严谨，形象生动，虚实结合，强调了人物神情的刻画。眼部和嘴部的表现充分合理，头发的表现轻松自然，具有较好的体积感。不多的用笔却能把人物形象表现得非常生动。

答疑解惑：

12问：画素描头像时用哪种工具才能把人物画黑，同时又不反光？

答：建议使用12B的绘画铅笔，它们画在纸上不反光，并且既能溶于铅笔，也能溶于炭笔，比较好用。

作者：王萌

点评：这幅作品造型准确，形象生动，构图巧妙，黑、白、灰层次关系分明，对头部的结构与五官的透视关系交代得非常清楚，眼睛的刻画由实到虚，惟妙惟肖。

答疑解惑：

13问：素描头像考试中，人物的眼睛、耳朵、嘴巴、鼻子的刻画要注意什么？

答：要特别注意重要骨点和晶状体的体现、软骨与硬骨的区别、质感的体现。再就是刻画要精到、细致，黑白灰层次关系明显，体块要处理好，但这些必须要建立在理解人物头部解剖和结构的基础上。但进步最快最明显的就是要多练习速写。

作者：王萌

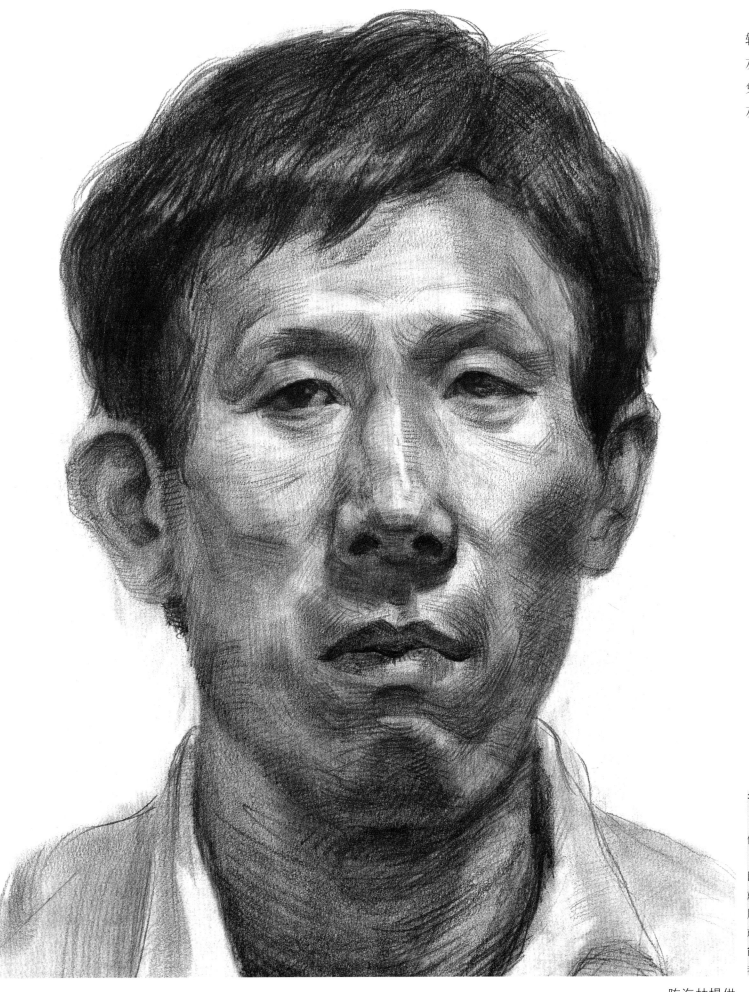

点评：这幅作品的光感较强，用笔流畅爽直黑、白、灰处理得当，画面很放松，避免了正面人像经常出现的平、灰、板等效果。

答疑解惑：

14问：如何才能提高素描人物头像的造型能力？

答：首先要看你对头像的结构与比例关系理解程度，如若不行，明天就去买本解剖书看看，从头骨、面部肌肉等比例开始一一背熟！做到伸手就可以画！只有理解透彻，稍有造型能力后，在写生的时侯不用铅笔比划都可以把比例画得准确。

陈海林提供

点评：这幅作品对画面节奏的把握轻松自然，合理搭配了黑、白、灰关系，增强了画面的整体性和虚实关系，使整个画面显得沉稳、厚重。

答疑解惑：

15问：完成一幅素描头像要多少时间？

答：如果是美术高考考试呢，是三个小时。要求构图适当、形体结构动势准确、能表现出人物情感。

作者：陈海林

27

点评：这幅作品头部结构准确，刻画生动。女青年的面部细微变化表现得较为充分，尤其是人物头发的处理非常自然。

答疑解惑：

16问：学习素描头像要掌握哪些基础知识？

答：素描几何形体、素描静物、素描石膏像、人体结构，这些是必须要经历的训练，关于相关的理论知识，就是明暗、虚实、色调、透视，等等。

作者：王萌

答疑解惑：

17问：如何画好素描头像中的眉毛？

答：首先应了解眉毛是沿着眉骨的走向生长的，所以画时就不能只画眉毛，而应从本质入手，画好眉骨的转折，然后再画眉毛。其次，眉毛也是有空间的，而并非贴在皮肤上，因此，不能画得太死。还有要注意的就是眉毛的走向，眉心和两边眉毛的生长方向是不同的，要仔细观察。而通常画老年人更要注重骨骼的塑造，眉毛较稀疏，但立体感强。男青年眉毛较浓，女青年眉毛较淡，不可过分刻画。

作者：李东君

答疑解惑：

18问：在素描头像中怎样才能画
准神态？

答：不是说你画得像就是画的
好，你要理解头像内在的结构骨骼，
比例并非真的就是三庭五眼，你学的
死板了点。人物形态是根据自己的多
次观察比较，但更重要的是你对模特
的第一感觉。不能死扣眼神，每一张
画都有自己出彩的地方。如果你真的
要说眼神的话，那么就是角度问题，
线的手法，眼睛的轮转度，等等的精
确，再就是和整幅画面上五官表情的
协调能力。

作者：郁华

点评：这幅作品构图饱满，结构清晰，双眼的处理透视准确，虚实有度，短促凌乱的线条把头发描绘得形象生动，与面部形成鲜明的对比。

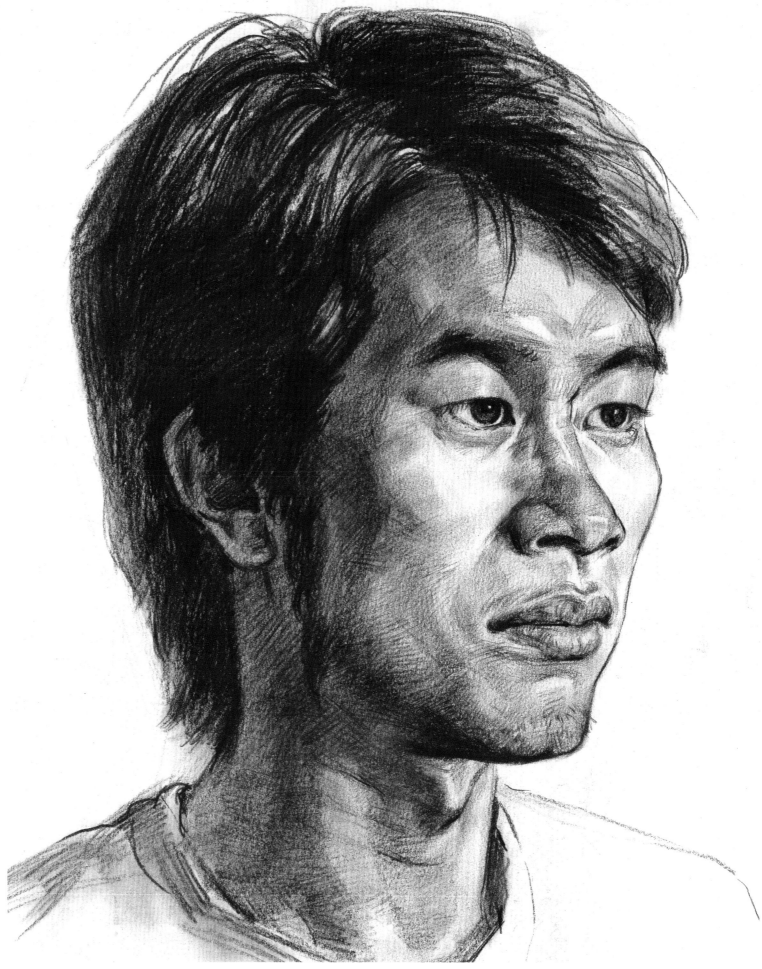

答疑解惑：

19问：怎么画好素描头像默写？

答：要善于抓特点，找骨点，重块面。抓特点，就是说要看人的五官特点，脸型有何特征，比如方脸、圆脸、长脸等。然后抓好形。找骨点就是说找出头部的那些骨点的准确位置，然后深入刻画。重块面是指要注意暗部的刻画，该暗就暗，该亮就亮。其实大多数人的默写都是建立在多画、熟练的基础上的！

作者：王萌

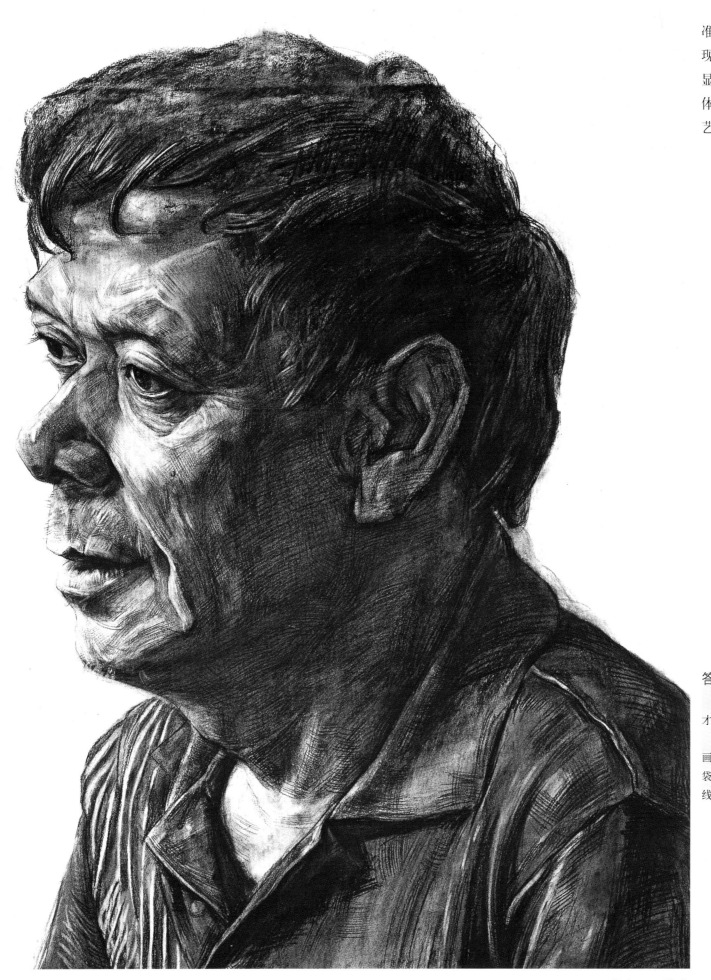

答疑解惑：

20问：我总把年轻人画老，怎样才能画得年轻点呢？

答：少画皱纹，还有脸部可以画得细腻点，眼睛要亮，要有神，眼袋不要画深了，注意嘴唇两边的法令线，画深了就显老。

作者：王博青

点评：这是一幅用笔较为简炼、概括的作品，黑、白、灰层次关系分明，所塑造的形象自然生动。传神的眼睛，头发的处理虚实相间，较好地衬托起面部五官。

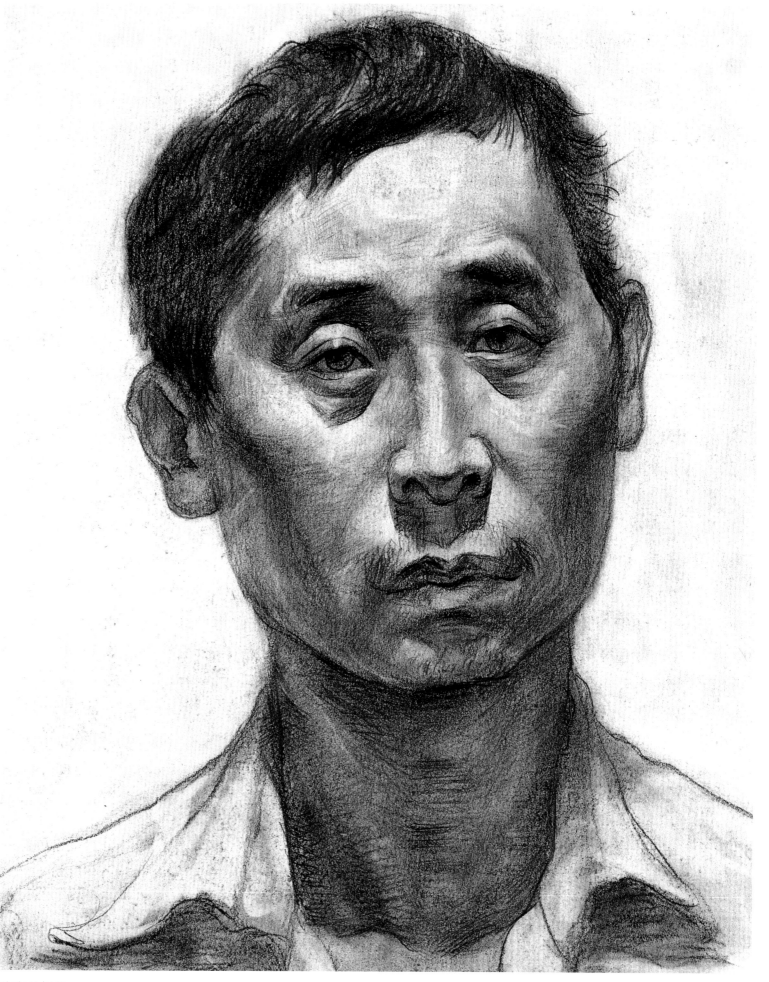

答疑解惑：

21问：素描头像中女中年和女青年的区别有哪些？

答：女中年和女青年的区别首先就是面容，面容区别的最大特征就是皮肤，也就是素描中说到的质感。其次是发型，女青年比较黑亮，头发有型，刘海、鬓角的处理就可以显现出年龄的特征。还有眼睛，女青年的眼睛比女中年的黑亮有神，而且眼带较浅，而女中年的眼带比较深，眼角周边略微有些皱纹，眼袋也比较突出。女青年的面部从画法上来讲，明暗交接要处理得当，黑白灰要过渡得比较柔和，那样光滑的质感就比较突出了。

陈海林提供

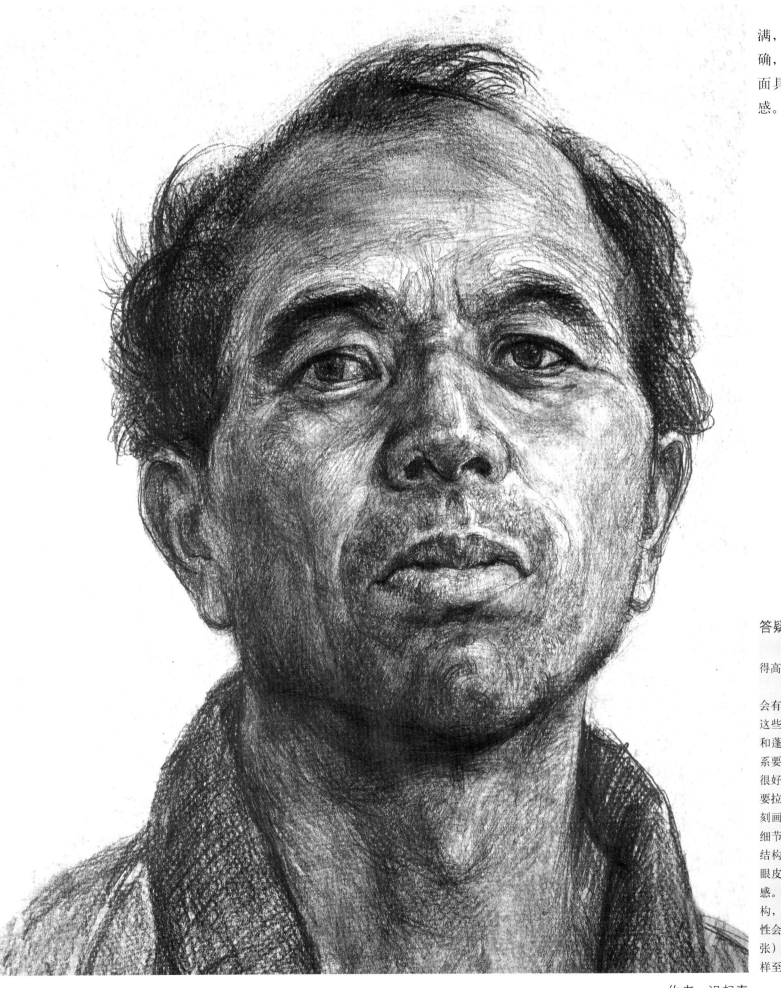

点评：这幅作品构图饱满，结构严谨，造型准确无误确，人物刻画深入、细致，画面具有较强的体积感和厚重感。

答疑解惑：

22问：素描头像考试中怎样才能得高分？

答：每个学校要求的风格多少会有些差别，但总体来说不外乎下面这些。线条别太僵，要把头发的质地和蓬松感体现出来，人物的层次关系要拉开，比如说，鼻子突出的感觉要很好地体现，头部和颈部的前后距离要拉开，明暗交界线要加深，要深入刻画,细节部分要注意，嘴部周围的细节部分要交代清楚，很多肌肉的小结构要画出来，眼睛不要死板，上下眼皮的明暗交界线要加深，形成球体感。还有比例、体面关系，面部的结构，皮肤的质感。另外有些自己的个性会更好（并不是要你画得多么的夸张），调子的对比要尽量强一些，这样至少在考试中是很有利。

作者：迟起春

点评：这幅作品作者对解剖结构的理解和对人物的特征把握得相当到位。极富塑造感的面部协调统一，并给人以真实、生动的艺术感染力和视觉张力。

答疑解惑：

23问：我喜欢那些画得像照片一样的画，真实、逼真，可老师说画得太死板了，我很难理解的是那些寥寥数笔的粗犷风格，素描人像到底什么风格好？

答：那种飘逸粗犷的寥寥几笔可不是谁都能画出来的，那是真功夫，要很多经验的。画画也不是画得像照片那样逼真就好，那样也就没有了艺术价值。你的老师或许是想让你在画里加入自己的理解和风格吧！"艺术源于生活而高于生活"！有风格的画是很美的，那些大师的风格已经上升到艺术的层面了！什么风格好，这个不好说，要看个人审美意识，或许你该多看些大师的作品，对你应该有启发。

作者：张富军

点评：这幅作品用笔熟练，人物五官表现得充分、到位，较为准确的结构关系与明暗对比丰富了画面的视觉效果，较好的突出了中年女性的特征。

答疑解惑：

24问：素描静物和素描人像是两个不同的领域，还是素描人像是素描静物的延伸？素描几何形体和素描静物是素描人像的基础吗？

答：可以这样理解，人物素描是静物与石膏的延伸。素描几何形体是素描的入门阶段，紧接着练习石膏头像（从易到难）、石膏半身像等，素描静物也可与石膏像同步进行，也就是说对素描的掌握程度上可以同步，都属于基础训练。

作者：王博青

点评：这幅作品整体节奏处理较好，头发表现松紧得当，面部形体概括，轮廓控制能力较强，结构的表现较为结实、概括，明暗层次清晰、明确，体积感较强。

答疑解惑：

25问：人像的造型特点我能画得出来，就是明暗关系方面上有点把握不住，老师说没有质感，还有头发颜色不够深，而我用8B画的，我也觉得不够深，用什么办法把应该深的地方画深点？

答：如果深的地方深不下去那就尝试把浅的地方画浅点吧，画画一定要明暗色调统一，从大关系开始，在起好大形以后就把大的明暗调子铺上去，这样就不会跑太多了。像下巴、鼻底、嘴缝这些地方是怎么黑都不会过的，而且五官一定要细致刻画。而脸上的明暗宁浅勿重，重则显脏。头发也可采用留白的处理方式。

作者：张素伟

答疑解惑：

26问：素描头像怎么深入？怎样才算是深入？

答：所谓深入，就是细致地刻画，包括形态、容貌、神态等，不仅表现在该黑的画黑，该亮的提亮，绘画中有很多东西都是感觉出来的，每个人有不同的表现手法，我们称为风格，每个人的画风随时间、心情会有改变。总的来说得多画，画多了自然就有感觉，有了感觉，你自然就知道你这张画想要表现什么，该重点刻画哪个部位。把你想表现的东西都刻画到位的过程，这就是"深入刻画"。而不是根据某一张画定义怎么深入，深入到什么位置。所有的技巧都是为了你要表现的对象，都是陪衬，当这些因素都和谐了，画面的整体产生了一种韵律，表现生动，基本就是一张好画。当然每个人的审美标准不一致，我们不能追求过于一致的评判。

陈海林提供

点评：这幅作品明晰均实的线条将结构特征铺排得特别真实，骨点的体现、软骨与硬骨的区别、质感的体现都表现得精到、细致，准确地体现出画面整体的黑白灰层次关系和虚实对比关系。

答疑解惑：

27问：在素描头像考试中应该注意些什么？

答：形要准。因为评卷老师判断你画的像不像的唯一标准就是你画的人结构正确，是个符合人比例、结构。画面要完整，就是形完整，画面完整是素描考试的关键。画面的黑白灰关系正确，也就是常说的素描关系正确。有体积。体积表现的是物体的厚度，体积的表现要在理解结构的基础上的。

作者：陈海林

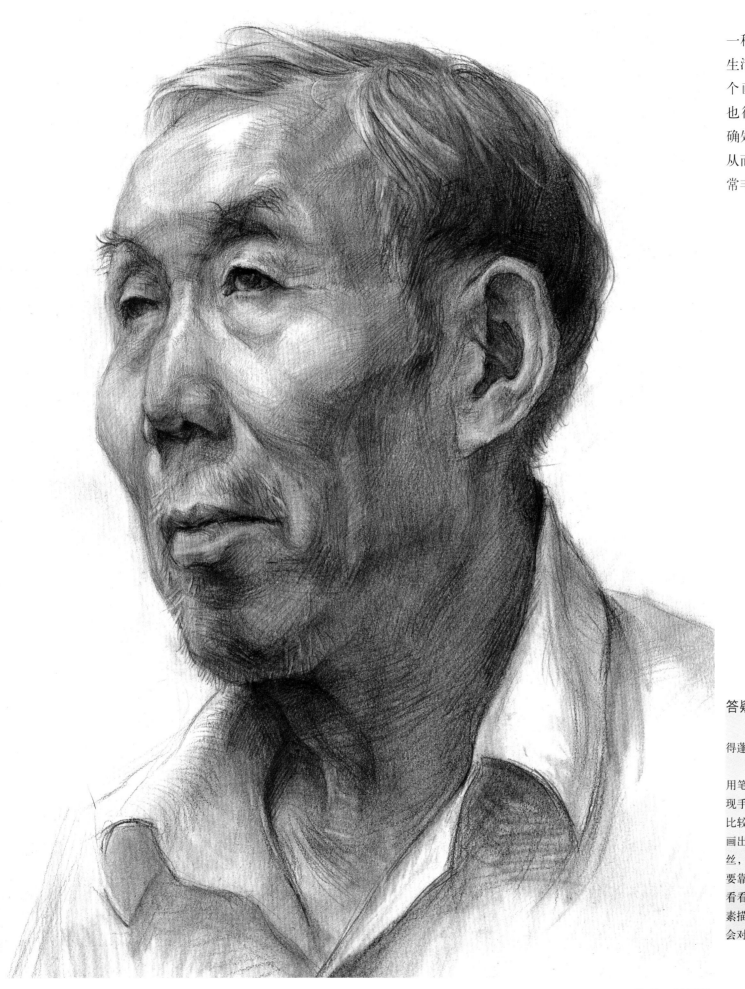

点评：这幅老人像作品用
一种特殊的笔调将老人的沧桑
生活阅历，刻画得很入微，整
个画面看上去很轻松，层次
也很微妙，五官的严谨、准
确处理与头发形成虚实对比，
从而使画面的表现形式显得异
常丰富。

答疑解惑：

28问：素描头像中如何将头发画
得蓬松生动？

答：画头发的时候主要是靠你
用笔的灵活性，对于不同的发型，表
现手法也不一样，建议同学最开始用
比较松软的铅笔分组画，把大的体积
画出来，在体感的基础上稍加一些发
丝，最后用侧峰扫扫，立体感的表现
要靠你对头骨结构的理解。有时间去
看看丢勒、伦勃朗等国外大师的人像
素描作品，看看他们是如何表现的，
会对你有帮助。

作者：沙鹏飞

点评：这幅作品画得较为严谨、深入，画面显得整体，形体团块很强，中年男子那种专注的神情与舒弛的肌肉用非常朴实的手法表现了出来。头发的处理颇有个性，使整个人物形象生动、自然。

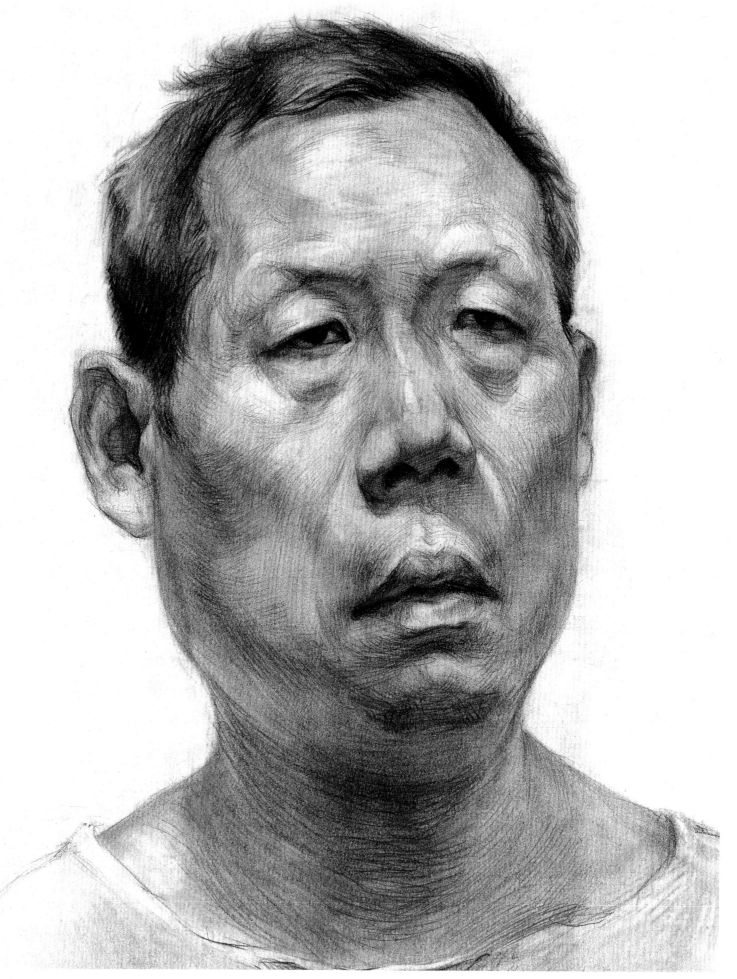

答疑解惑：

29问：怎样才能画好素描头像，应该注意些什么？

答：要懂得头像的内在骨骼结构，人物形态是根据自己的多次观察比较。素描最重要的是形，形要抓准，把头像画得厚实起来，好好研究一下肌肉和骨骼，透过皮肤表现出肌肉和骨骼，把五官和整体画面协调起来。总之要画好素描头像，就要有扎实的基础，精确的造型能力，还是要靠多画才能得到。同时还要多看好的范画，提高鉴赏力，进而大胆地多方面地进行尝试，不断提高绘画水平，实现自己的理想。

陈海林提供

/41

点评：这幅作品人物五官结构基本准确，大体明暗关系的处理比较统一，花白头发的处理有效地传达出了老人的面部形象特征。

答疑解惑：

30问：素描头像中，如何能够画得好，使画面没有"花"与"乱"的感觉？

答：产生花、乱的原因有两个方面：首先是由于过于刻画局部而没有顾及到其它部位的相互关联造成的，东一块西一块，使画面杂乱无章。其次是由于铺调子的色度不够均匀，用线过于凌乱。另外画面虽然表现了很多明暗层次，也注意到了主次的明暗对比关系，但是给人感觉物象表现不结实，抓不住具体结构的关系，显得很空泛。这主要是对人物结构理解的不深刻，没有真正的把握面部各部分结构的转折、起止、穿插关系，虽然从明暗大块面上表现了层次的差别，但没能抓到具体的结构点。同学们在平时的练习中应该加强对结构的理解和分析，搞懂各部分关系，并用明暗体现这些结构关系，这样，作品才能画得结实和实在。

作者：王博青